떠나기 어려운 마음, 떠나야 하는 이유

문명길

섬을 여행하며 글을 쓰고, 섬이 좋아 섬 서포터즈를 하며, 그 기억의 흔적을 남기기 위해 2017년 뚜벅이의 계절여행이라는 섬 이야기를 책으로 펴냈다.

마음이 멀어서 먼 여행은 있어도 거리가 멀어서 먼 여행은 없다는 여행 철학을 안고 지금도 가방 하나 둘러메고 세상 어디든 달려간다. 보지 않으면 알지못할 아름다운 세상을 전해주고 싶어 뚜벅이의 계절여행이라는 블로그를 통해 사람들과의 소통을 이어가고 있다.

여행은 새로운 장소를 방문하는 것 이상의 의미를 가지기에 단순한 오락을 넘어 여행에서 얻은 삶의 가치와 방향을 제대로 전해주기 위해 인문, 사회, 자연, 문화예술, 문화콘텐츠로서의 여행 만들어가고자 첫 책이 나온 이후, 한국 방송통신대학교 입학을 해 2023년 한국방송 통신대학 문화교양학과를 졸업했다.

문명길 지음

떠나기 어려운 마음,
떠나야 하는 이유

인생을 다채롭게 살고 싶은 당신에게

프롤로그

갈 곳이 있어야만 떠나는 여행이 아니었다. 목적지가 없어도 배낭 하나 둘러메고 어디든 떠나는 일이 좋았다. 등을 떠미는 사람이 있는 것도 아니었지만 길을 나서는 순간순간을 좋아했다. 그렇게 세상 속으로 들어가 배회하는 시간이 모여 나만의 여행을 만들 수 있었고, 그 속에서 행복해 하는 나를 발견하며 떠나오기를 잘했다 생각했다.

오늘은 어디로 떠나느냐고 묻는 이들에게 그냥 이라고 답을 했지만, 떠나야 하는 이유는 차고도 넘쳤다. 수천 수만 가지 떠나야 하는 이유 중에 지금 하나라도 떠오르는 게 있다면 떠날 준비는 끝난 셈이다.

나도 처음부터 여행을 좋아하는 사람이 아니었다. 평범했던 인생에 시린 바람이 불어온 때는 어떤 유혹에도 굴하지 않는다는 불혹의 나이 40대 초반이었다.

죽고 싶다는 생각에 사로잡혀 아무것도 못하는 시기였다. 죽는 일은 어려웠지만, 살아가는 일도 어렵긴 마찬가지였다. 돌파구가 필요했다.

시리도록 아픈 상황을 잊게 만들 무엇인가가 필요했지만, 대책 없이 세월만 보냈다. 아무도 만나지 못하고 방구석에 처박혀 있었다. 아무것도 하지 못하는 나를 어떻게든 일으켜 세워야만 했지만 살아 있는 날에 의욕이 없었고, 살아갈 날에는 미래가 없었다.

그러던 어느 날 '산에 가고 싶다'는 생각이 뇌리를 스쳐 지나갔다. 갑자기 왜인지는 모르겠다. 그냥 산을 올라 보고 싶다는 생각을 했다. 산이 좋아서라기보다 힘든 산을 오르다 보면 모든 상황을 잊어버릴 것만 같았다. 경제적으로도 어려웠던 터라 산에 가는 일이 가장 부담도 없을 것 같았다. 그렇게 무작정 배낭 하나 메고 가까운 산에 올랐다.

마음이 무거워서일까 산을 타는 단순한 행위도 쉽지 않았다. 한걸음 한걸음 떼기가 너무나 힘들었다. 못할 것 같았지만, 그 당시 내가 할 수 있는 유일한 일이었기에 선택의 여지가 없었다. 너무나 힘들었지만 헉헉거리는 숨소리도 내게는 사치로 느껴졌다. 육체가 힘들어서일까 산을 타는 동안은 아무 생각도 나지 않았다. 그제야 살 것 같았다.

그날 산을 내려와 집에 들어서는 순간, 다시 걱정거리들이 거대한 파도처럼 밀려왔다. 작은 문제도 산더미처럼 느껴졌다. 주말이 오면 배낭을 메고 또 산을 올랐다. 힘이 들어 그만 오를까도 생각했다. 그러나 집으로 오면 기다렸다는 듯이 온갖 문제가 덮쳐왔다. 온몸을 덮치다 못해 괴물이 되어 내 몸을 잘근잘근 씹어댔다. 다시 산으로 도망해야 했다.

그런 삶을 2년 가까이 살았다. 그 사이 수많은 산을 탔다. 지리산을 올랐다. 덕유산도 올랐다. 설악산, 한라산도 올랐다. 황석산, 와룡산, 무등산, 운장산, 신불산을 올랐다. 높은 산뿐 아니라 산이라면 물불을 안 가리고 올랐다. 봄이면 봄대로, 여름이면 여름대로, 올랐다. 가을이면 가을을 벗 삼고 추우면 추위와 함께 오르고 또 올랐다.

구미에 있는 금오산을 오를 때였다. 그날따라 왜인지 모르게 한숨 아닌 한줌의 감탄이 흘러나왔다. 비 내리는 구름을 뚫고 나온 태양빛 한줌이 온 세상을 비추는 것처럼 "아! 산 참 좋다. 진짜 참 좋다"라는 말이 나도 모르게 흘러 나왔다. 그 말을 내뱉는 순간 가슴속 깊은 곳 응어리를 토해낸 듯한 기분이었다. 마음속 짐을 내려놓고자 올랐던 산, 몸을 힘들게 하면 마음이라도 편해질까 해서 올랐던 산이 좋아지기 시작한 순간이었다. 자연이 내어주는 아름다운 풍경이 좋았고, 정상에 올라야만 보여주는 비경이 좋았고, 신이 조각한 듯한 바위를 보는 게 좋았고, 끊임없이 들려오는 산새들 지저귐이 좋았다. 정작 해결된 문제는 하나도 없는데 말이다.

그리고 이상한 일이 일어나기 시작했다. 어디서 왔는지 모를 용기란 놈이 살며시 다가와 '이 문제는 아무것 아니야, 이까짓 것 충분히 헤쳐갈 수 있다'고 속삭였다. 그때부터 나의 진짜 여행이 시작되었다.

광양 백운산 아래 우리나라 최대 동백림이 있다는 옥룡사지를 친구와 함께 찾았다. 빨갛다 못해 핏빛이 나는 동백이 좋으니 꼭 가 보자 했다. 길바닥에 너부러져 있는 붉디 붉은 동백꽃들이 그렇게 아름다울 수가 없었다. 동행했던 친구가 동백이 좋다는 거제 지심도에 가보지 않겠냐 했다. 동백에 빠져버린 나로서는 가지 않을 이유가 없었다.

동백을 보기 위해 거제 일운면에서 유람선을 탔다. 지심도는 하늘에서 내려다보면 마음 심(心)자를 새겨 놓은 모양이라는데 동백이 온 섬을 뒤덮어 동백섬으로 유명하다. 그러나 정작 동백보다 내 마음을 움직였던 것은 한적하고도 고즈넉한 분위기였다. 제주도 관광 외에는 한 번도 섬 여행을 해 보지 못한 나에게 섬의 매력을 일깨워 준 천국 같은 곳이다. 섬을 찾은 사람들과 거리를 조금만 두어도 여러 가지 소리가 들려왔다. 바람에 서로 살을 비비는 나뭇잎 소리, 이름 모를 산새의 노랫소리, 부서지는 파도 소리 등 자연의 소리가 얼키고설킨 생각으로 복잡한 나의 마음을 치유하는 기분이었다. 이제는 산이 아니라 섬을 찾고 싶다는 생각을 그곳에서 처음했다.

그날로 섬을 찾기 시작했다. 내가 있는 삼천포에서 가까운 통영의 섬 한산도, 추봉도, 곤리도, 우도, 연화도, 연대도, 지도 등부터 창원 소꾸리섬, 실리도를 걸었다. 차츰 통영과 창원을 넘어 애도, 소록도, 거금도, 옹도, 장도, 소청도, 백령도, 홍도 등을 4년 6개월 동안 거의 한 주도 빠지지 않고 찾다 보니 100곳 넘는 섬을 다녔다.

그냥 섬이 좋았다. 안 보면 보고 싶었고 보고 있으면 이내 빠져 나오고 싶었지만 안 보고 살수는 없을 같았다. 보고 보고 또 보아도 좋았다. 그런 섬 사랑의 발걸음은 한 권의 책이 되었다. 나의 첫 책 〈뚜벅이의 계절여행〉에 그 이야기를 담았다.

섬을 찾아다니다 제주도 산지등대에 붙은 등대 스탬프 투어 포스터를 발견했다. 가 보고 싶어졌다. 그렇게 아름다운 등대를 찾는 여행을 시작했다. 처음 섬을 찾았을 때처럼 마음이 움직였다. 우리나라 최초의 등대인 팔미도 등대를 시작으로 소청도, 옹도, 어청도, 홍도, 마라도, 우도, 독도에 등대를 찾아 갔다. 간절곶, 울기, 속초, 오동도 등대 등 전국의 등대를 찾기 시작했다. 3년 6개월 동안 수많은 등대를 찾아 등대 스탬프를 찍고 등대 형상이 새겨진 15개의 메달을 받았다.

그 뒤 이색적인 시티투어 버스를 찾아 떠나기도 했고 지자체 초대장을 받고 박물관을 방문했다가 박물관 여행도 시작했다. 같은 여행지라도 어떻게 이동하느냐에 따라 느낌이 달랐다. 자전거를 타고, 버스를 타고, 걸어서 보았다. 봄, 여름, 가을, 겨울 계절을 달리해서 찾았다. 같은 장소라도 콘셉트를 달리하니 새로운 장소였고 새로운 느낌이었다.

발걸음 닿는 모든 곳에 의미를 부여하자 나의 삶 자체가 여행이 되기 시작했다. 의미 있는 삶으로 변하기 시작했다. 1년 동안 251킬로미터 남해 바래길 여정을 마쳤고, 제주 올레길과 부산 갈맷길, 지리산 둘레길과 남해안 남파랑길을 걷고 있는 중이다.

이렇게 여행하다 보니 주위에서도 여행가로 인정해 주기 시작했다. SRT 열차 차내지에 여행기를 청탁받아 글을 썼다. 거제시 문화관광과에서 주최한 '거제 관광투어 공모전'에서 우수상을 받았고, 창원 방문의 해를 맞아 창원시에서 공모한 '창원의 섬 여행후기 공모전'에서는 장려상을 받았다. 경남일보 기자의 섬 취재에 섬 전문가로 동행하기도 했다. 이런 일상들이 모여 나만의 소박한 여행 철학도 생겼다. 일상이 여행이고, 특별한 여행도 일상이 되게 만들자는 생각이 바로 그것이다.

나처럼 힘든 순간을 겪는 사람이 있다면, 여행을 통해 고통을 충분히 이겨낼 수 있다고 말해 주고 싶다. 아픔의 무게는 다르겠지만 똑같은 아픔으로 살아가는 많은 사람들에게 여행이 치유제가 될 수 있다고 말해주고 싶다. 그리고 시간이 없어어 떠나지 못하고, 일에 파묻혀 떠나지 못하고, 정작 떠나고자 해도 어디부터 시작해야 하는지, 무엇을 가지고 무엇을 버리고 떠나야 하는지 모르는 사람들에게 알려주고 싶었다. 여행에 대한 여러 가지 질문을 통해 여행은 이런 거야, 어렵지 않은 거야 하고 말해주고 싶었다. 어쩌다 먼저 경험한 나를 보고, 떠나기 힘들어 하는 마음을 벗어나 떠날 수 있다는 사실을 느끼게 해 주고 싶었다. 그런 마음을 이 책에 담았다.

나는 떠나기를 어려워하는 사람들에게 떠나지 못해서 아쉬워하는 것보다 떠나고서 후회하는 편이 낫다고 말하곤 한다. 그리고 떠나고 싶어도 여러 가지 이유들로 실행하지 못하는 사람들에게 신발 끈을 동여맬 한줌의 용기를 불어넣어 주는 마중물 역할을 하고 싶다. 그렇게 시작하고 나면 어느새 여행은 숨 쉬는 것 마냥 자연스러운 일상이 될 수 있다 믿는다.

돈이 많아야 갈 수 있는 것도 아니고 돈이 없다고 못 가는 것도 아니다. 여행에 준비가 필요하다면 그건 바로 떠나고자 하는 마음 한 스푼뿐이다. 소풍가는 마음으로 배낭을 짊어지는 순간 여행은 시작이다.

나에게 좋았다면 다른 사람에게도 분명 좋을 거라는 확신이 들었다. 이런 마음을 모아서 한 권의 책 안에 담았다. 여행에 대한 생각의 파편을 끊임없이 모으고 모아 당신이 여행의 즐거움을 발견할 수 있기를 바라며 책으로 엮었다. 이 책을 통해 모든 사람이 자유로운 여행자로서의 삶을 경험한다면 좋겠다.

당신의 모든 여행이 여행다워지기를 바라며.

목차

1장

떠나지
못하는
마음

당신에게
여행이란?

영국의 작가 길버트 키스 체스터턴은 '여행은 단순히 지구상의 어떤 장소로 가는 것이 아니라 살아 보는 것'이라 했다. 삶 자체가 여행이라는 사실을 수많은 여행을 통해 배웠다. 여행이라는 이름으로 떠나서 만났던 수많은 장소와 사람은 가장 힘들었던 시기를 이겨내게 만든 치료제였다. 떠남의 연속이 바로 내가 추구하는 일상이고 살아가는 일 자체가 여행이다. 일상이 여행이 되기 위해서는 떠나야 하고 떠나는 삶을 살아 봐야 삶 자체가 바로 여행이 될 수 있다. 그렇다면 과연 우리에게 여행이란 무슨 의미일까? 어떤 가치를 가질까?

나에게 여행이란 만남이었다. 삶이 너무 힘들어 스스로를 내팽개쳐버린 순간 다시 나 자신을 들여다볼 수 있게 만든 만남이었다. 가장 힘든 순간에 "아! 참 좋다"라고 감탄하게 만든 전국의 산, 안 보면 보고 싶고 보고 있어도 보고 싶어 4년을 떠돌게 한 섬, 곁에 있어도 한 번도 제대로 보지 못했던 아름다운 등대를 발견하게 한 만남이었다.

여행이 좋은 사람들과의 만남이었다. 전라남도 우주의 도시 고흥 나로도에서 배를 타고 5분 정도 가면 닿는 애도라는 섬이 있다. 사랑 애(愛)가 아닌 쑥이 많이 난다 하여 쑥 애(艾)를 써서 애도 또는 쑥섬이라 부르는 곳, 그 섬에서 한 부부를 만났다. 남편 분은 나로도 중학교 국어 선생님이었고 아내 분은 나로도에서 약사 일을 했다. 애도를 지키는 애도지기 부부의 이야기는 낭만 그 자체였다.

만남의 시작은 이렇다. 이름도 처음이었고, 어디에 있는지도 모르던 애도라는 섬을 한 신문기사를 보고 처음 알게 되었다. 한참 섬에 미쳐 가는 때였으니 가지 않을 이유가 없었다. 지금은 하루에도 수십 번을 왕래하는 배가 생겼지만, 당시에는 사양도라는 큰 섬까지 오가는 배가 애도에 손님이 있을 때만 가는 길에 잠시 내려 주었다. 사양도행 배를 타려는데 표를 끊는 아주머니가 "볼 것도 없는 섬에 무슨 일로 가요?" 하고 물었다. 섬이 좋아 섬만 찾아다니는 여행자라고 이야기 했는데 그 의미를 이해했는지 모를 일이다. 그래도 그 섬에 가면 조그만 무인카페가 있다는 정보를 전해주었다. 그렇게 애도에 첫발을 디뎠다.

섬 전체를 살펴볼 요량으로 조그만 산에 올랐다. 그때 처음 발을 디딘 곳은 사람들이 '쑥섬의 신비'라 부르는 곳, 난대 원시림이었다. 〈아바타〉라는 영화에서 주인공이 또 다른 세계를 봤을 때 같은 느낌이었다. 지구가 아닌 듯 느껴졌다. 에덴동산이 있다면 여기가 아닐까 생각했으니 말이다.

섬을 한 바퀴 걷고 무인카페에 들렀다. 무인으로 운영한다지만 따뜻한 커피향으로 가득한 아늑한 카페를 예상했다. 그런데 덜렁 온장고에 캔 커피가 다였다. 한마디로 실망했다. 내가 들어갔을 때부터 안에 부부가 있어 여행객인가 생각했다. 부부는 내게 어디서 어떻게 이 섬에 오게 되었냐고 물었다. 경남 삼천포에 살며 전국 섬을 찾아 다니는 여행자라 말했다.

학교 선생님이었던 김상현님과 몇 시간 대화를 이어 갈 줄, 처음에는 미처 몰랐다. 대화를 나누다 애도를 부부가 가꾸고 있다는 사실도 알게 되었다.

　그 당시 여행자로서 특별히 내세울 것도, 가진 것 도 아는 것도 없는 사람이었지만 섬이 좋아 섬을 찾아 다니는 '섬 여행가'라고 스스로 소개하니 관심을 보였다. 섬의 느낌을 물어 오며 어떤 모습으로 섬을 가꾸면 좋겠는지 의견을 듣고 싶어했다. 아내 분은 내게 점심을 먹었냐고 물었다. 아직이라고 답하기가 무섭게, 먹을 게 없다면서 라면이라도 먹겠냐고 물었다. 세상에서 가장 맛있는 라면이었다. 무인카페에 실망했던 첫인상이 무색하게 거기서 부부와의 따뜻한 인연이 시작되었다.

　그렇게 만난 인연은 그 뒤에도 계속 이어졌다. 만날 때마다 밝은 웃음으로 맞아 주는 사이로 지금까지 지내고, 나의 첫 책 〈뚜벅이의 계절여행〉이 나왔을 때는 아이들과 읽겠다며 책 십 여 권을 사 주기도 했다. 이렇듯 여행은 나에게 있어 수많은 인연을 이어준 만남의 장이었다.

여행이 무엇이냐는 질문에 나는 종종 이렇게 답한다.

"여행은 현재를 가장 재미나게 사는 방법이며, 미래로 나아가는 멋진 행복이며, 흑백사진을 들춰보는 일이다."

여행을 하지 않는다고 큰일이 나지는 않지만, 여행이 인생을 훨씬 재미나게 만들어 주는 것은 분명한 사실이다. 여행 없는 삶을 살 수도 있겠지만 여행 있는 삶이 훨씬 풍요롭다.

여행이 삶의 양념이라면, 보조 양념이 아닌 소금 같은 필수 양념이다. 이렇듯 나에게 여행은 만남이고 현재를 가장 재미나게 살아가는 방편이고 선택이 아닌 필수 요건이다. 내가 느꼈던 여행의 의미가 남들에게도 똑같이 다가오지는 않을 것이다.

그렇다면 묻고 싶다. 당신에게 여행이란 무엇인가? 모두의 답이 다를 수 있다는 사실을 알고 있다. 그리고 당장 그 답을 찾지 않아도 된다. 모든 일에 정답을 요구하는 세상이라지만 우리는 삶에는 하나의 정답이 존재할 수 없다는 사실을 알고 있다. 여행도 마찬가지로 정답은 없다. '이것만이 올바른 여행이다'라고 답을 내는 어리석음을 범하지 말자. 하고 싶은 여행은 있어도, 반드시 따라야만 하는 여행의 법칙은 없으니 말이다.

여행에 대한 각자의 철학이 있으면 좋겠지만, 아무렴 어떤가. 꼭 정의를 내린 뒤 떠나는 것이 여행은 아니지 않는가? 여행에 대한 정의가 다를지라도 염려할 이유는 없다. 여행을 다니다보면 어느새 그 답을 찾게 될 테니 말이다. 자신이 행복해지는 여행, 자신이 좋아하는 여행이면 된다. 세상에서 가장 의미 있는 여행은 자신의 언어로 자신의 행동으로 만들어가는 자신만의 여행 그거야 말로 진정한 여행이다.

"여행은 선택이 아니라 필수다."

Question

01

당신에게
여행이란?

어떤 계절이
여행하기 좋을까?

여행은 두발보다 마음에서 시작하는 것이다. 세상을 바라보는 눈과 마음의 시선에 따라 세상이 달리 보이기 때문이다. 여행하기 좋은 계절이 따로 있을까? 우리가 떠나는 순간이 언제나 가장 좋은 계절이다.

여행을 요리한다면 봄, 여름. 가을, 겨울 중 무엇으로 요리할까? 똑같은 장소라도 계절 따라 색다른 매력을 보여주는 게 여행이다. 여행을 떠나기 좋은 계절이 언제냐고 묻기보다 오늘은 어떤 색깔을 나에게 보여줄까 하는 기대감을 갖는 편이 훨씬 나을지도 모른다. 언제든 떠날 줄 아는 사람에게 자연은 계절의 변화를 가장 빠르게 보여준다. 신의 선물 같다.

"계절에게서 또 다른 계절이 궁금해진다면, 당신에게 여행이다."

그래서 여행을 언제 떠나느냐고? 바로 지금이다. 어떤 날이 가장 좋은지 물어본다면 여행은 맑은 날, 비 오는 날, 따뜻한 날, 추운 날 그 모든 날 좋다.

어느 4월 봄날이었다. 산수유 축제에 맞춰 친구와 함께 구례 여행을 하기로 했다. 여행 당일 새벽에 눈을 떠 보니 촉촉하게 봄비가 내리고 있었다. 날씨는 쌀쌀했지만, 내 눈에는 그렇게 낭만스러워 보일 수가 없었다. 그러나 친구에게는 그렇지 않았다. 비 오는 날 움직이기 싫다고 했다. 이런 날은 따뜻한 곳을 찾아 막걸리 한잔이 최고라 했다. 눈치를 보고 있으니 "비 오는 날 청승스럽게 왜 가는 거야" 불평했다. 우산을 쓰고 행동에 제약받는 그런 여행은 하기 싫다는 뜻이었다.

결국 혼자 여행을 떠났다. 비 오는 날의 운치를 모르는 친구가 이해는 안 됐지만 사는 방법이 다르니 어쩌겠는가. 차창 밖으로 떨어지는 봄비를 느끼며 구례로 향했다. 평소 같으면 북적거렸을 축제장도 한산하기만 했다. 산 능선마다 물안개가 피어올랐다. 마치 여행자를 축복하는 것만 같았다. 축제의 주제처럼 '천

년의 사랑'이 피어오르는 듯했다.

　바쁠 이유가 없는 나는 우산을 쓰고 산수유 사이를 이리저리 거닐었다. 그러다 발견했다. 산수유 꽃잎 끝에 영롱한 물방울이 대롱대롱 달려 있었다. 햇빛은 없었지만 어찌나 빛나 보이든지 마치 나를 이끄는 듯했다. 어느새 커진 나의 눈망울과 물방울이 가까워지고 있었다. 그 순간 물방울 속에 담긴 새로운 세상을 만났다. 마치 우주의 신비를 담은 듯한 물방울에 정신이 나가고야 말았다. 세상 어떤 보석이 이렇게 아름다울 수가 있을까 하는 생각이 들었다. 신비스러운 만남에 정신을 빼앗겼다. 이런 광경을 과연 비 내리는 날이 아니면 어찌 볼 수 있단 말인가. 빗속에서 신의 선물을 받았다.

　1년 365일 중 비가 내리는 날보다 비가 내리지 않는 날이 더 많다. 이 말은 비 내리는 날을 충분히 기다려 볼 가치가 있다는 의미다. 비가 와야만 모든 생명이 살아갈 수 있다는 만물의 이치 때문만은 아니다. 비가 와야만 제대로 볼 수 있는 새로운 세상도 있기 때문이다. 비 내리는 날의 감성과 더불어 비와 함께

달라지는 풍경이 있다. 비 오는 날은 자연이 새로운 작품을 만들어 내는 귀한 시간이다.

"행복한 여행은 계절이 만드는 것이 아니라 자신이 만들어 가는 것이다."

Question

02

어떤 계절이
여행하기 좋을까?

어디까지가
여행일까?

직장은 따로 있으나 여행을 업으로 삼은 듯 매주 떠나다 보니, 오늘은 어디로 떠나는지에 대한 질문을 많이 받는다. 꼭 궁금해서라기보다 인사치레였을지도 모르겠다. 그 물음에 답하면 마치 수학공식이라도 되는 듯이 메아리처럼 되돌아오는 말이 있다. 멀리 가면 "그렇게 멀리?" 또는 바로 앞이면 "거기 가면 뭐가 있냐?"는 물음이다.

여행에서 거리는 어떤 의미일까? 멀리 떠나야만 여행일 수 없고 가까이 간다고 여행이 아니라 할 수 없지만, 우리는 멀리 떠나는 여행은 두려워하고 가까이 가는 여행에는 인색하다.

뜨거운 태양이 내리쬐는 주말이었다. 친구가 여행을 가고 싶다 했다. 내 여행길에 동행하고 싶다는 뜻이었다. 어디로 갈 거냐는 물음에 내가 사는 사천에서 아주 가까운 광양으로 간다했다. 40분이면 갈 수 있는 거리니 옆동네나 마찬가지였다. 첫 마디가 "광양? 거기는 볼 게 뭐 있는데?" 바로 옆이라 수십 번도 더 다녀왔다는 눈치였다. 친구는 자기가 안 가 본 새로운 곳으로 가고 싶어 했다. 그래서 "광양 너 얼마나 아니? 너에게 새로운 광양을 보여줄게" 하고 떠났다. 우리는 광양 배알도라는 곳으로 향했다. 배알도의 해맞이 다리를 걸어 별 헤는 다리를 건너서 윤동주 시인의 '별 헤이는 밤'과 '서시'가 있는 윤동주 공원까지 다다랐다. 그리고 '하늘을 우러러 한 점 부끄럼 없기를' 하는 '서시'를 오늘도 읽을 수 있도록 한 윤동주의 친구 정병욱 가옥에 들렀다.

윤동주가 연희전문학교를 졸업하던 1941년 그의 대표작 19편이 수록된 시집인 〈하늘과 바람과 별과 시〉를 발간하려 했으나 일본의 방해로 여의치 않게 되자 윤동주는 자필원고를 정병욱에게 맡기고 유학을 떠난다. 태평양전쟁의 전세가 불리해지자 일제는 조선인 청년들까지 전선을 내몰았다. 1944년 1월 일본군에게 끌려가게 된 정병욱은 윤동주의 원고 보존을 광양에 있는 어머니에게 부탁했다. 원고를 맡기며 정병욱은 동주나 내가 다 죽고 돌아오지 않더라도 조국이 독립되거든 이 글을 연희전문학교로 보내어 세상에 알리도록 해달라는 말을 어머니에게 유언처럼 남겨 놓고 떠났었다.

그의 어머니도 대단했다. 아들이 맡긴 시들이 그냥 종이에 단순히 끄적거린 글자가 아님을 알아보는 깊고도 높은 안목으로 일본군의 눈을 피해 이를 지키기 위해 마룻바닥을 뜯고 그 아래 숨겼다. 그 덕에 윤동주의 글은 1948년 〈하늘과 바람과 별과 시〉라는 제목을 달고 한 권의 책으로 세상에 나왔다.

함께 광양에 간 친구에게 이런 이야기를 들려주니 꽤나 좋아했다. 자기가 알던 광양이 아니라고 했다. 이렇게 의미 있는 여행을 하게 될지 몰랐다는 거였다. 여행이란 누구와 가느냐에 따라 달라지고, 어떤 마음으로 가느냐에 달라지는 법이다. 여행은 먼 거리를 나서야 있는 것이 아니다. 몇십 년을 살아 온 동네도 마음을 열면 새로이 보이는 법이다.

여행을 하면서 배운 사실이 있다면 여행의 거리는

물리적 거리에 있는 게 아니라 마음에 있다는 점을 배웠다. 너무 멀어서 못 간다. 가까워서 볼 게 없다, 거기 가는 건 좋은데 너무 고생스럽다, 차를 몇 시간이나 타고 저 멀리까지 무슨 고생이냐는 말들을 한다. 그렇게 따지면 세상 어디에도 갈 곳이 없다.

예전에 어머니에게 들었던 재미난 이야기를 하나 해야겠다. 어떤 한사람이 죽어 저승에 갔다. 염라대왕 앞에 서고 보니, 아직 죽지 않아야 할 사람을 저승사자가 잘 못 데려온 것이었다. 염라대왕이 미안해하며 그 사람에게 다시 살려 주는 동시에 무슨 소원이든 들어줄 테니 소원을 이야기해 보라고 했다. 그 사람은 아무 욕심이 없다며 "그냥 등 따시고 배부르고 아무런 걱정 근심 없이 살면 좋겠습니다"라고 소원을 이야기했다. 그러자 염라대왕이 그 사람의 뒤통수를 때리며 "이 미친놈아 세상에 그런 데가 있으면 내가 가겠다" 했단다.

이처럼 여행도 마찬가지다. 아름다운 풍광에 맛있는 음식에 좋은 사람이 있고, 날씨까지 따뜻하고 금상첨화로 힘들이지 않고 몸 편하게 다녀올 수 있는 곳은 세상 그 어디도 없는 법이다. 아무리 가까워도 천근만근 마음이면 힘든 게 여행이다. 아무리 멀어도 즐거운 마음 한 스푼이면 세상 어디든 가는 게 여행이다. 어디로 가야하는지보다, 어떻게 가는 게 중요하고, 어떤 마음으로 떠나야할지가 더 중요하다.

아름다운 세상에서 운 좋게 만날지도 모르는 존재에 대한 기대감이 있다면 아무리 멀어도 떠나는 게 여행이다. 가까운 곳에서 새로운 세상을 발견하는 눈이야 말로 여행의 필요조건이다. 여행의 거리는 길이를 재는 자가 아니라, 무게를 재는 저울로 측정해야 한다. 마음의 무게에 따라 거리는 멀었다, 가까웠다 한다.

**"마음이 멀어서 먼 여행은 있어도
거리가 멀어서 먼 여행은 없다."**

떠나기 어려운 마음, 떠나야 하는 이유

Question

03

어디까지가
여행일까?

같이 여행 갈 사람이
있을까?

혼밥, 혼술, 혼행, 1인 가구, 나 혼자 산다 등등 홀로임을 강조하는 말들은 차고도 넘쳐 나지만, 정작 혼자서는 아무것도 할 수 없는 사람이 너무나도 많다. 나쁜 짓을 하는 것도 아닌데, 내 돈 주고 들어가는 식당에서 혼자서는 밥 한 끼 떳떳하게 먹지 못한다. 아무도 신경 쓰지 않는 자기 몸뚱어리를 들고 애쓰고 불안해하는 존재는 타인 이전에 본인 자신임을 알아야 한다. 혼자 떠나지 못한다면 당신은 스스로 발목에 족쇄를 채우는 일이다.

사람들은 삶이 바쁘고 힘들 때 마다 입버릇처럼 어디론가 떠나고 싶다 말한다. 어느 날이었다. 사는 게 힘들다며, 요즘 같은 날이면 조용한 곳에 가서 쉬고 싶다는 말을 슬그머니 꺼내놓는 친구가 있었다. 내가

떠나기 어려운 마음, 떠나야 하는 이유

여행을 많이 다니니 조언이라도 얻고 싶은 요량으로 보였다. 조용한 곳을 원한다기에 섬을 추천했다. 섬은 너무 삭막하고 배 타는 것도 두렵다 했다. 어느 정도 사람이 있는 곳을 원했다. 고즈넉한 산세가 보이고, 걷기 좋아 사람들이 많이 찾는 도심 속 산성을 소개했다. 그런데 함께 갈 사람이 없다고 말했다. 조용한 곳에 잠시 쉬고 싶은 마음인지 사람에게 위로 받고 싶은 마음인지 모르지만 혼자 가도 충분히 갈 수 있는 곳이고, 안전한 곳이었다. 혼자 오는 사람도 많고 충분히 쉴 수 있는 곳이라 설명을 해도 친구는 겁이 난다고 했다. 성별이나 나이의 문제가 아니었다. 혼자서 떠나본 적 없는 사람은 혼자 하는 여행 자체를 두려워하는 것 같다.

혼자서 짧은 여행마저 하지 못하는 삶이라면 긴긴 인생 여행에서 혼자 남겨진 순간이 오면 어떻게 살아가려 하는가? 누구나가 원초적인 순간과 마주할 때가 오는 법이다. 홀연히 혼자 남는 순간이 와도 당황하지 않고 살기 위한 연습 중 여행만 한 방법이 없다. 그때를 위해서라도 혼자만의 여행은 필요하다.

반대로 진정한 여행은 오로지 혼자 떠나야 여행이라고 열불을 토하는 사람도 있다. 홀로하는 여행이 자신을 들여다볼 수 있는 최고의 시간이라는 사실은 알고 있다. 그러나 그런 여행만이 진정한 여행이라 생각하지는 않는다. 제대로 된 동전이라면 앞과 뒤가 있어야 한다. 여행도 마찬가지다. 혼자 떠나는 여행이 필요로 하듯, 함께 만들어가는 여행도 필요하다. 사람이 살아가면서 함께 여행할 친구가 없다면 비참하지 않을까. 혼자만의 여행을 통해 들여다보는 내면이 있듯, 함께 걸을 때만 보이는 세상도 있다. 그래서 여행은 홀로여야 하고, 또 함께여야 한다.

　혼자하는 여행이 자신을 들여다보게 한다면 함께하는 여행은 동행한 친구의 새로운 면을 발견하게 만들어 준다. 함께 떠난 친구와의 동행은 그 친구를 조금 더 알아가는 시간이 되고 또한 친구를 통해서 자신은 어떤 존재인지 알게 되는 최고의 시간이 되는 법이다.

　혼자라서 좋았다. 내 마음대로 짜는 스케줄과 남 눈치 보지 않는 발걸음은 내 여행을 행복하게 만든다.

함께라서 좋았다. 혼자 먹지 못하는 맛있는 음식들을 함께 갈 때는 마음껏 찾아서 먹는다. 홀로 여행자들이 많이 생겼지만 1인 여행자를 반갑게 맞이하는 음식점이 그렇게 많지가 않다. 경제적인 관점에서 보면 충분히 이해할 만도, 그럴 만도 하다.

누군가와 이야기 하고 싶을 때 함께 나눌 수 있는 길동무가 있어서 좋다. 평소에 하기 힘든 이야기도 여행지에서는 다르다. 저녁을 먹고 커피 한잔 들고 시원한 바람과 파도소리가 있는 방파제 위에서라면 마음에 담은 이야기들도 쉽게 나오는 법이다. 여행은 사람과의 관계를 가깝게 만든다. 여행은 혼자여도 좋고, 함께여도 좋다. 각각의 새로운 매력이 좋아 떠난다.

혼자여서 좋았던 순간들이, 혼자여서 불편한 순간이 있었다. 함께여서 좋았던 순간들이 함께라서 불편해지는 경우도 있었다. 그래서 참다운여행은 시간을 필요로 하고, 숙성의 시간을 거쳐야 한다. 여행은 혼자여도 좋고, 함께여도 좋다.

"혼자하는 여행 혼여, 함께하는 여행 함여."

Question

04

같이 여행 갈 사람이
있을까?

여행 계획을
어떻게 세울까?

양념이 과하면 재료 본연의 맛을 잃게 만들지만, 적당한 양념은 재료의 맛을 배가되게 한다. 여행 계획도 마찬가지다. 패키지 여행은 대부분 미리 정해진 시간에 따라 움직인다. 조금이라도 여유를 부리면 다음 일정 때문에 눈치를 받는다. 너무나 세세한 계획은 여행을 피곤하게 만든다. 때론 빈틈이 있는 여행이 훨씬 재미있다. 여행의 틈은 여유라고도 하고 휴식이라고도 한다.

여행을 많이 하다 보니 친구들의 여행 성향도 알게되었다. 중학교 친구가 있다. 이 친구는 어떤 일이든 계획이 있어야 움직인다. 떠나기 전부터 모든 일정이 머릿속에 그려져야 한다. 여행 중간에 무료한 시간은 아깝다 생각한다. 아침에는 어디를 가고, 점심은 어디서 무엇을 먹고, 일정을 마치는 시간은 몇 시쯤인지 알아야 하는 친구다.

여행이 계획대로 딱딱 떨어지면 좋으련만 예상치 못한 돌방상황은 늘 있는 법이다. 그런데 친구의 시간 속에는 이 돌발상황이 들어 있지 않다. 조금이라도 예상치 못한 상황으로 흘러가면 스트레스를 표출한다. 맛집이라고 찾아간 식당 음식이 자기 입에 안 맞으면 불평불만부터 시작한다. 일정을 짠 내가 일행들에게 미안해질 지경이다.

반대로 너무 느슨해도 문제다. 한 친구는 머릿속에 계획이 전혀 없고, 시간 개념도 없다. 성향이라고 받아들이기에는 과해서 함께할수록 지쳐간다. 어디라도 갈라치면 그 친구 기다리느라 떠나기 전부터 진이 빠져 무엇을 해야겠다는 의지가 사라진다.

통영에서 새벽 6시 50분 배를 타고 대매물도에 가려던 참이었다. 출항 30분 전에는 매표를 해야 하고 약속 장소에서 출발해 통영까지 한 시간 걸리니 여유 있게 2시간 전, 아무리 늦어도 새벽 5시 30분에는 출발해야 된다. 그런데 친구는 6시가 다 되서 약속 장소에 도착했다. 그날 배 시간을 맞추려고 얼마나 애타게 달렸는지 모른다. 자동차를 비행기삼아 달려야 했으니 말을 다한 것이다. 어떻게든 시간은 맞추지만 여유롭지 못한 출발은 늘 불만이다. 그 친구의 성향을 알고 있어도 늘 스트레스를 받는다. 친구라는 이름으로, 그리고 세상 사람들이 모두 나와 똑같지 않다는 위로를 하며 인연을 이어가는 중이다.

적당한 계획은 여행을 풍성하게 만들지만 하나부터 열까지 세세한 틀 속에 가두어 버리는 계획은 사람을 피곤하게 만들기도 하는 법이다. 그렇다고 자유라는 이름 하에 아무런 계획 없는 무계획은 그 자체만으로도 힘이 빠진다.

준비되지 않은 여행이 새로운 경험을 만들어주는 것은 분명하지만 그런 경험은 자주 일어나지 않다. 과함을 걷어 내고 부족함을 채워 넣는다면 행복한 여행이 되지 않을까?

"거창한 계획이 아름다운 여행을 만들어 주지 않는다. 그렇다고 무계획이 여행의 자유를 보장하지도 않는다. 여행에서 계획은 양념 같다."

Question

05

여행 계획을
어떻게 세울까?

여행이 여행다워지려면
어떻게 해야 할까?

경남 함양에 가면 '하미앙 와인밸리'라는 곳이 있다. '하미앙'은 외국인들이 함양을 발음하기 어려워 그들이 발음하기 쉽게 변형한 이름이다. 관광형 와인 터널이 있고 와인 저장고 및 시음장 그리고 커피와 간단한 밥을 먹을 수 있는 카페가 있다. 이곳 와인의 원료는 산머루다.

와인의 주재료가 되는 산머루는 낮에는 강한 햇빛과 밤에는 찬 기온을 견뎌야 한다. 해발 400-600미터 지리산 자락 고원, 최적의 환경에서 자란 산머루를 따다가 깨끗이 씻어 곱게 파쇄하고 또 다시 발효와 착즙 과정을 거친다. 그렇게 만든 원액은 또 다시 지하 숙성실에 있는 숙성 탱크에 넣고 3년 이상 장기 숙성시킨다. 거기서 끝이 아니다. 잘 숙성된 와인은 오크통으로 옮긴다. 거기서도 적당한 온도와 습도를 유지하며 6개월에서 1년 정도 지나 오크향이 와인 속에 스며들면 우리가 마시는 와인병으로 옮기고 그 뒤에도 긴 시간을 보낸다. 그래야만 산머루 특유의 맛과 향이 살아 있고 탄닌 성분이 묵직한 훌륭한 와인이 된다.

와인 만드는 곳을 가 보고 알았다. 와인이 와인다워지기 위해 얼마나 많은 시간이 필요한지. 와인을 만드는 과정 또한 여러 공정과 수고로움을 거쳐야만 제대로 된 맛과 향을 낸다. 여행도 마찬가지다. 좋은 산머루처럼 햇빛을 견디고, 찬바람도 맞아야, 할 때도 있고, 예상치 못한 비를 피해야 하고, 기다려야 할 때도 있고, 길을 잃어버리는 황당한 경험도 하게 된다. 그러면서 여행도 숙성된다. 여행이 꼭 편할 수만 없다는 사실을 알게 된다. 여행에도 분명 시간이 필요하다. 내가 원하는 여행 내가 꿈꾸는 여행을 만들기 위해선 노력도 필요하다.

처음 하는 여행은 서툴러도 너무나 서투르다. 나 또한 그랬다. 처음부터 여행을 잘 했겠는가. 혼자 나서

기가 힘들었고, 어디로 갈지 몰랐고, 멀어서 못 갔고, 가까워서 갈 곳이 없었고, 함께여서 눈치 보며 챙길 게 많아 귀찮았고, 혼자여서 겁 외로웠고, 춥거나 덥거나 비가 와서 못 갔다.

삶이 괴로워서 떠났지만 더 괴로워지기만 하고, 일에 지쳐 몸과 마음을 쉴 생각으로 떠나보지만 돈만 허비하는 것 같고, 고생이 수반되니 떠나 있을 때는 좋았지만, 다녀와서 보면 또 천근만근 되어버린 몸은 마음까지 무거워지게 만든다. 그러다가 또 다시 일상으로 돌아간다, 또 열심히 살다 보면 몸과 마음이 지쳐온다. 다시 떠나고 싶다는 생각이 든다. 안가면 가고 싶고 다녀와서 보면 남는 게 없는 여행이다.

우리의 여행이 여행다워지지 못하고 우리의 여행이 힘들어지는 이유는 여행을 연례행사처럼 계획해서 그렇다. 여행이 여행다워지려면 어쩌다 한 번 떠나는 도피성 여행이 아니라 삶의 에너지를 채우는 일상 여행으로 바꿔야 한다. 걸어볼까, 역사지 여행을 떠나볼까, 시티투어 여행은 어떨까, 등대를 찾아볼까 하며 여행에 콘셉트를 만들고 계획해 보아야 한다.

와인을 만드는 과정처럼 우리의 여행도 가꿀 필요가 있다. 누군가 잘 만들어 놓은 패키지 여행도 좋겠지만 스스로 정성을 들여 만들어 봐야 한다. 때론 타이트하게 때론 여유 있게 때론 바다로, 때론 산으로, 때론 자전거로, 때론 걸어서 세상 속으로 들어가다 보면, 어느 순간 여행이 재밌어 진다. 때론 거칠고, 때론 시간이 꼬여 엉망일 때도 있고, 같이 동행한 사람에게 지칠 때가 있다. 때로는 모든 게 행복해보이고 좋은 순간도 있다. 스스로 잘 만들어 놓은 여행의 길은 내 삶의 또 다른 길이 되어 준다.

관광지라고 다녀오면 사람 구경만 하고 온 것 같다. 물론 그런 여행이 전혀 의미가 없다고 할 수는 없다. 잘 만든 패키지 여행 속에서 완전한 쉼을 누리는 경우도 있다는 사실을 안다. 그러나 남이 차려 놓은 밥상이 내 입에 늘 맞을 수 없다. 그때그때 내게 필요한 여행, 다녀오면 힘을 얻는 여행, 삶이 풍성해지는 여행을 하고 싶었다. 스스로 스토리를 만들어 가는 여행을 하고 싶었다. 그래서 시간이 지날수록 주제를 만들어야겠다 생각했다.

여수 오동도에 동백을 찾아갈 수도 있겠지만, 오동도에 숨어 있는 등대를 찾아서 갈 수도 있다. 똑같은 장소지만 주제를 달리 하면 평소에 보지 못했던 풍경이 눈에 들어왔다. 관광지로서 동백만 찾다가, 등대 투어를 계기로 등대를 보다가 등대 사무실에 전시된 세계 등대 사진전을 발견했다. 로봇 모양의 등대, 젖병 등대, 연필 등대, 말 모양 등대, 야구 글러브와 방망이 모양 등대, 전사의 투구 모양 등대 등을 사진전에서 보았다. 등대도 예술이 될 수 있음을 깨달았다. 도로 위 신호등처럼 등대 색깔을 보고 배가 운항한다는 사실도 알게 되었다. 우리가 알고 있는 등대지기의 정식 이름이 항로 표지관리원이라는 정보도 배웠고 항로 표지관리원의 일상까지 들여다보게 되었다. 이렇게 시간이 지나면서 나의 여행은 세분화되고 풍성해져 갔다. 와인이 익어가듯 내 여행도 맛있게 익어갔다.

여행은 시간을 먹고 자라는 나무와 같다. 그 시간 속에 많은 경험들이 녹아들고 숙성되어 가는 과정 속에서 내가 원하는 여행이 나오는 법이다. 여행을 오래 다니면서 배운 게 있다면 여행이 여행다워지기까지 많은 시간이 필요하다는 점이다. 시간과 함께 깊어지고 감미로운 향을 만들어 내는 와인처럼 여행도 다니면 다닐수록 풍성하고 맛있어진다는 사실을 배웠다.

"여행도 다니면 다닐수록 숙성된다."

Question

06

여행이 여행다워지려면
어떻게 해야 할까?

2장

떠나야
하는
이유

당신이 받은
최고의 위로는?

　내 인생 가장 힘들었던 순간을 지나왔다. 몸도 힘들었지만, 나 자신과 싸우는 나의 마음이 더 힘들었다. 내면에서 들려오는 소리는 마치 태풍과 함께 몰려오는 비바람 같았다. 주위 사람들이 한마디씩 한다. 도와주겠다는 소리고 힘을 주겠다는 격려였지만 마음에 짐이 많다 보니 모든 말이 스트레스였다. 조용히 있고 싶은데 쉴 수가 없었다. 힘을 내라고만 했지 힘을 주지는 못했다. 무슨 말이라도 하고 싶어 말을 꺼내 놓기가 무섭게 첫 세상을 경험하는 어린애 취급이었다. 우리에게 가장 힘이 되어주는 존재가 가까운 사람일 수 있지만 가장 상처를 많이 주는 존재도 가까운 사람이다. 나 역시 그때 그랬다.

　아무도 없는 곳으로 떠나고 싶었다. 그래서 찾은 곳

이 섬이었다. 하나의 도피처가 되어 버린 섬은 나를 다그치지 않았다. 빨리 걸으라고 재촉 하지 않았다. 왜 왔냐고 묻지도 않았다. 오늘은 왜 그렇게 울상이냐고 핀잔도 주지 않았다. 건네는 말이라고는 몽돌과 장난치다 까르르 웃는 파도소리였고, 천하를 유람하다 나를 만나 신나게 세상 이야기를 들려주는 바람소리였다, 이름 모를 수많은 새들이 노래하는 소리였다. 아무리 바람이 시끄럽게 굴어도, 아무리 파도가 크게 철썩거려도, 아무리 새들이 떠들어대도 그 소리들을 탓하지 않고 자신만의 소리를 내며 살아가는 게 너무나 좋았다. 그 와중에 가장 시끄러운 소리는 끊임없이 나와 싸우는 내면의 소리였다. 천둥처럼 시끄러운 싸움을 하는데도 섬은 그런 나를 소리 없이 따뜻하게 받아 주는 것만 같았다. 세상의 수많은 위로 중에 최고의 위로는 무엇일까? 생각 해봤다. 각자가 받은 위로의 선물이 다르겠지만 내가 받은 최고의 위로는 바로 섬이었고 그곳을 벗 삼아 떠나는 여행이었다.

자신의 아픔까지 오롯이 대면할 수 있는 시간을 가지려면 지금의 자리에서 떠나 새로운 곳에 서 보아야 한다. 여행은 그것을 가능하게 한다. 여행이 여행다워지는 순간이기도 하다. 아이러니하게 사람 없는 섬 여행에서 위로를 받고 난 뒤 다시 사람의 위로가 그리워지기 시작했다. 도망치듯 떠나왔던 주위 사람들의 말소리가 그리워지기 시작했다. 잔소리처럼 들렸던 소리들이 듣고 싶어졌다. 어느새 나도 모르게 치유가 된 것이다. 이렇듯 여행은 위로하는 힘이 있고 치유하는 힘이 있다.

우리가 받는 위로 중에 가장 큰 위로가 무엇인지 생각을 해 봤다. 위로가 얼마나 필요한 세상인가? 살다 보니 아픈 적이 참 많았다. 힘든 일도 참 많았다. 좋은 일만 계획했는데 어느새 내 곁에 와 있는 크고 작은 문제와 함께 살아가는 것이 인생임을 알게 되었다. 그러니 인생을 너무 빡빡하게 살지 말자. 힘들 때마다 친구에게, 가족에게 받은 위로로 내가 만들어졌다. 또 여행에서도 큰 위로를 받았다. 여행을 통해 힘을 얻었고, 치유를 받았고, 희망을 느꼈다. 여행에서 받은 수많은 위로가 모여 지금의 나를 만들었고, 행복한 마음을 가진 부자가 되게 했고, 뚜벅이의 계절여행이 되었다.

지금 아프다면, 괴롭다면, 쉬고 싶다면, 더 큰 에너지를 받고 싶다면 떠나 보라고 말해 주고 싶다. 여행이 모든 것을 치유해 주지는 못하겠지만, 적어도 삶의 힘든 순간에서 잠시나마 벗어날 수 있게 해 준다. 거기서부터 시작하면 된다. 퍽퍽한 삶을 이겨내느라 오늘도 열심히 뛰는 자신에게 조그마한 선물을 해 보자, 자신에게 주는 선물로 여행만 한 게 없다.

  "그 어떤 위로보다 더 큰 위로는 여행을 떠나는 거다."

떠나기 어려운 마음, 떠나야 하는 이유

Question

07

당신이 받은
최고의 위로는?

짜릿한 설렘과 행복을
경험한 게 언제일까?

어릴 적 소풍 떠나기 전날 밤이 얼마나 좋았던가. 마냥 설레어 잠을 설쳐본 경험을 한번쯤은 가져 봤을 테다. 나이가 들다 보니 언제 설렘으로 가슴이 뛰었나 생각해 보면 있었는지 없었는지도 기억이 나지 않는다. 살아가면서 좋은 일도 많았을 법한데 그 좋았던 순간을 당연한 듯 받아들였는지 모를 일이다. 사람이 사랑에 빠지다 보면 하루가 짧고, 시간 개념을 뛰어넘는 경험을 하게 된다. 안 보면 보고 싶고, 보고 있어도 보고 싶고, 헤어지기가 싫다. 내일 만날 계획이라도 있다면 벌써부터 신이 난다.

나는 이런 설렘을 여행에서 경험했다. 여행은 목적지에만 있는 것이 아니다. 떠나기로 마음먹은 순간부터 여행은 벌써 시작된다. 우리가 여행하면서 설레지 않은 이유는 사랑하지 않아서가 아닐까. 아니면 여행

떠나기 어려운 마음, 떠나야 하는 이유

을 연례행사처럼 하다 보니 그럴 수도 있겠다 싶다.

단순히 좋은 곳을 찾아가는 일이 여행의 전부라면 전문가가 화려한 카메라 기술로 담은 텔레비전 속 영상을 따라 가지를 못할 것이다. 영상 속 멋진 장소만 보아도 충분할 것이다. 여행은 눈으로 보는 일이 다가 아니다. 정말 떠나고 싶은 곳은 있는지? 정말 만나야할 사람이 있는지 스스로에게 물어볼 필요가 있다.

섬을 미치도록 좋아해서 4년 가까이 찾아다녔다. 얼마나 좋았으면 섬을 그녀라고 말할 만큼 사랑에 빠졌다. 섬에라도 가는 날이면 일주일 전부터 표를 예매했다. 그 섬에는 무엇이 있을까, 어디로 걸을까, 어떤 역사가 있을까, 어떤 재미가 있을까 찾아보는 일이 나의 일상이 되었다. 남들이 앓는 월요병도 없었다. 월요일이면 주말에 찾아갈 여행지 생각에 설렘이 온몸을 채워, 일주일을 살아갈 힘을 줬으니 말이다.

설렘이 심장으로 달려가는 통에 밤새 쿵쾅거림을 맛봐야 했다. 아, 여행이다. 설레고 싶어서 여행을 떠났다. 이렇게 여행지로 떠나기 전부터 밀려오는 설렘이 모이다 보니, 여행지에 닿기도 전에 행복했다. 그 행복감은 여행지에 도착하자마자 '이 여행 참 잘 왔다' 하는 감탄으로 바뀌었다. 여행은 모든 일을 재미나게 하는 길이 되었고, 자신감을 주는 멋진 도구로 변했다. 내 인생에 잘한 일이 있다면 여행의 맛을 알았다는 사실이다.

"내 평생 이렇게 멋진 너를 만나게 될지 몰랐다."

남원으로 떠났을 때였다. 남원으로 찾은 이유는 단 하나였다. 최명희 작가의 대하소설 〈혼불〉을 느끼고 싶어서였다. 네이버 지식백과에 나온 혼불 소개(〈한국현대문학대사전〉, 2004. 2. 25., 권영민)를 옮겨 본다.

'1988년 9월부터 1995년 10월 사이에 월간 『신동아』에 연재되었고 1996년 한길사에서 10권의 결정본이 발간된 최명희의 미완성 대하소설로 1981년 『동아일보』 창간 60주년 기념 2천만원 고료 장편소설 공모에 당선된 작품이다. 일제시대를 배경으로 우리 민족의 끈질긴 생명력과 당시의 풍속사를 수려한 문체와 서정성으로 나타낸 대하소설이다. 일제강점기인 1930~1940년대 남원 지방의 한 유서 깊은 가문인 '매안 이씨' 문중에서 무너져 가는 종가를 지키는 종부 3대와, 이씨 문중의 땅을 부치면서 살아가는 상민마을 거멍굴 사람들의 삶을 그린 소설이다. 어려운 근대 사회에서도 양반 사회를 지켜나가려는 기품, 평민과 천민의 고난과 애환을 매우 치밀하게 묘사하고 있으며, 소설의 무대를 만주로 넓혀 그곳에 사는 조선 사람들의 비극적 삶과 강탈당한 민족혼의 회복을 제목 '혼불'에 담아 염원하고 있다.'

남원은 대하소설 〈혼불〉의 주무대로 최명희 기념관이 자리하고 있다. 최명희 기념관을 가기 전 소설의 초입에 나오는 매안역에 들렀다. 소설 생각에 빠져 기찻길을 걷고 걸었다. 분위기가 너무 좋아 제법 먼 길을 걸었다. 그러다 갑자기 비를 만났다. 사실 갑자기라기 보다 날씨가 끄무레해서 언제 비가 와도 아무렇지도 않을 상태였다. 매안역에 내렸을 때는 비가 오지 않아 안심하고 여유를 부리며 걷다가 비를 만난 것이다. 비가 와서 뛰어야 할 판이었고 비를 피해야 했다. 그러나 떠나온 길은 멀고 허허벌판 쭈욱 뻗은 기찻길에서 비를 피할 곳이 있을 리 만무했다. 억수 같은 장대비도 아니고 '가랑비에 옷 젖는다'고 할 때의 딱 그 비였다. 그냥 천천히 걷기로 했다.

머리칼이 젖어들기 시작했다. 걷다 보니 뭉툭 튀어나온 흙 한 줌이 바지에 튀어 올랐다. 흙을 털었다. 그

때였다. 순간 이런 생각이 들었다. '이 순간도 참 좋다'
는 생각이 말이다. 그냥 모든 것이 좋았다. 행복 그 자
체였다.

**"여행을 떠나는 발걸음에 기쁨이 묻어 있었다. 흙
인 양 털었더니 행복이 날린다. 여행의 다른 말은 행
복이다."**

살아가면서 행복한 기억 한자락 가지고 사는 게 참
으로 중요하다. 아름다운 세상에서 잘 살았다고 고백
할 수 있는 행복한 삶을 살고 싶다. 나는 여행이 그걸
가능하게 만든다고 본다. 여행을 다니다 보면 떠남에
대한 설레임과 기대감이 수십만, 수백만 볼트의 감동
전류가 되어 행복한 순간을 만들어 준다. 세상에 이보
다 더 짜릿한 경험이 어디 있을까?

여행은 이렇게 나를 전율케 만든다. 이런 감전이라
면 얼마든지 맞고 싶다.

"여행은 행복한 감전이다."

짜릿한 설렘과 행복을
경험한 게 언제일까?

외로울 때 무엇이
필요할까?

울지 마라

외로우니까 사람이다

살아간다는 것은 외로움을 견디는 일이다

공연히 오지 않는 전화를 기다리지 마라

눈이 오면 눈길을 걸어가고

비가 오면 빗길을 걸어가라

_정호승, '수선화'

　정호승 시인의 시 '수선화'를 처음 접한 건 강원도 영월에 있는 단종의 유배지인 청령포에 갔을 때다. 청령포를 돌고 나와 차 한잔 하려고 한 카페에 들렀다가 이 시를 보았다. 숙부에게 쫓겨나 왕에서 폐위된 단종의 외로움 때문이었을까, 아니면 내 삶의 괴롭고 힘들었던 순간이 떠올라서일까, 혼자 하는 여행이 많아서일까 이유는 모르겠지만 참으로 강렬하게 다가왔던 시이다.

갑자기 외롭다는 생각이 온몸을 휘감고 돌았다. 함께 있다고 외로움이 없는 것도 아니다. 혼자라고 늘 외로운 것도 아니다. 사람이라면 누구에게나 원초적인 외로움이 있다. 이를 다스릴 줄 알아야 한다. 친구와 여수에서 배를 타고 2시간 거리에 있는 거문도로 여행을 떠났다. 하루를 마감하며 가로등 불빛이 바다를 비추는 방파제에 앉았다. 피곤을 술 한잔에 녹이며 아름다운 풍경에 기대다 보니 마음에 있는 속내까지 나왔다. 누가 봐도 행복만 있을 것 같은 지인에게도 힘든 부분이 있고 외로움이 있고 마음의 숙제가 있었다. 외로움은 어쩌면 숙명처럼 존재하는 게 아닐까 하는 생각을 했다.

각자가 처한 외로움은 다를 수 있지만 누구에게나 외로움은 있고, 이에 잘 대처해야 한다. 그 외로움에 정복당하면 삶의 의욕을 잃어버리는 우울증에 걸린다. 우울증이란 게 먼 나라 이야기 아니라 누구에게나

올 수 있는 이유이기도 하다. 누구나 외로움을 이겨낼 방편 하나는 가지고 있어야 한다. 나에게는 여행이 그것이었다. 외로워서 떠났더니 외로움을 직면 하게 되었고 외로움이 친구가 되었다. 외로움을 매개로 여행을 떠나기 시작했고 여행은 다시 내게 힘이 되었다.

아직까지 외로움을 이겨낼 좋은 방법을 찾지 못했다면 여행을 떠나라고 말하고 싶다. 나에게 있어서 외로움은 여행을 하는 원동력이 되기도 했지만, 여행을 통하여 삶을 살아갈 방법까지 배우게 했다. 여행을 통해 외로움도 다스려 가는 중이다.

여행을 통해 나를 이해하고, 주위 사람들도 이해하다 보니 하루하루의 소중함을 배우게 되었다.

"외로움도 힘이 될 수 있는 것이 여행임을 깨달았다."

Question

09

외로울 때 무엇이
필요할까?

지금의 자리에 언제까지
머물 수 있을까?

운동 하나는 자신 있었다. 100미터 달리기도 선수급 정도는 아니어도 항상 선두권에서 뛰었다. 현재 나는 50대 중반을 향해 달리고 있다. 2년 전의 일이다. 아는 동생과 밥 내기로 100미터 달리기 대결이 붙었다. 결과는 졌다. 진 것은 당연한 결과였는지 모르지만, 진짜로 충격 받은 일은 따로 있었다.

달리기를 하고나서 그 뒷날이 문제였다. 대퇴부 뒤쪽으로 근육이 부어오르더니 통증 때문에 도저히 걸을 수가 없었다. 한 달 가까이 고생을 했다. 평소에 100미터는 아니어도 꾸준히 운동을 해 왔던 나로서는 충격이었다. 순간적인 폭발력과 함께 온몸의 근육을 쥐어짜야만 하는 단거리 달리기를 몰라도 너무나 몰랐다. 예전 생각만 하고 밥 내기가 뭐라고 죽으라고 뛰었으니 말이다. 그 일로 병원을 일주일 넘게 다녔다.

요즘도 있는지 모르겠지만 예전에는 초등학교마다 운동회에 '아버지 달리기 시합'이 꼭 있었다. 자녀들이 보고 있으니 이겨야겠다는 자존심으로 왕년에 한가락 했던 때만 생각하고 뛰다가 넘어져서 크게 다치는 사람이 부지기수다. 마음은 있고 몸이 안 따라가니 그럴 수밖에! 이렇게 우리의 몸은 나도 모르게 노쇠해지고 있다. 이처럼 몸은 우리의 마음을 따라가지 못한다.

여행이라고 별반 다르지 않다. 마음만 있다고 떠날 수 있는 게 아니다. 막상 떠나고자 마음먹었는데 무릎이 아파 못가고, 허리가 아파 못가는 일도 생긴다. 쉽게 떠나면 될 것 같은 여행에 몸이 따라주지 않을 때가 많다. 그래서 여행은 '다음'이 아닌 '당장' 떠나야 한다. 지금 이 순간이 돌아오지 않는 것처럼 오늘 떠나지 못하는 여행을 내일이라고 떠날 수 있다 장담할 수 없다.

오늘이라는 시간 속에 자연스럽게 떠나는 여행이

되려면 어떻게 준비해야 할까? 평소에 만들어 놓은 운동 근육이 있어야 내가 뛰고자 할 때 쓸 수 있듯, 마음이든 몸이든 무언가를 하려고 할 때 잘 움직일 수 있도록 여행의 근육을 평소에 키워놔야 하는 법이다.

막상 떠나고자 하면 걸리는 문제가 얼마나 많은지 모른다. 여유가 생기면 떠나겠다고, 열심히 일하고 돈을 모아서 은퇴하고 떠나겠다고 말하지만 천만에다. 평소에 하지 않던 여행을 노후에 시간이 많다고 떠나게 되지 않는다. 평생 여행이라고 제대로 안 해 본 사람이 시간이 많다고 어떻게 여행을 하겠는가. 무엇을 어떻게 해야 할지 미리 배우고 익히지 못했는데 말이다. 어찌어찌 떠났다 한들 한 번 떠나고 두 번 떠나고 난 뒤, 역시 집이 최고라며 나가는 것조차 버거워한다.

준비 없이 떠난 여행은 피곤하고 힘만 들뿐이다. 여유는 한 번의 여행을 통해 생기지 않는다. 하루하루 여행이 쌓이다 보면 자연스럽게 따라오는 선물이 여유다. 하루하루 여행을 쌓아가다 보면 언젠가 자기가 원하는 여행을 할 수 있게 되는 것이다. 지금 할 수 없는 여행은 나중에도 하기 힘들다. 내일이 아닌 현재가 중요하다. 사는 게 재미가 없는 인생에 여행을 선물한다. 현재를 가장 재미나게 살아가는 방법 중 하나가 바로 여행이라고 말해 주고 싶다.

"자주 떠나 본 사람만 아는 여행의 맛을 전해주고 싶다."

Question

10

지금의 자리에 언제까지
머물 수 있을까?

나만의 방식을
찾았는가?

　삶을 살아가는 방법이 모두가 똑같을 수 없듯 여행
도 다 같을 수 없다. 똑같은 장소, 똑같은 생각으로 떠
나는 똑같은 여행에 싫증나지 않는가? 같은 장소라
도 자신만의 여행을 만들고, 자신만의 그림을 그릴
줄 아는 사람이야말로 제대로 된 여행을 할 수 있다.
여행은 정해진 틀이 없다. 하얀 도화지 위에 자신만
의 그림을 그리고 자기가 원하는 물감을 풀어 자신이
그리는대로 떠나면 된다.

　목적 없이 떠나기보다 여행의 테마를 잡고 하나의
옷을 입히듯 떠나 보면 자신만의 여행이 만들어진
다. 섬 여행에 등대라는 옷을 입히고 그동안 보니 보
이지 않았던 등대가 새롭게 보이기 시작했던 것처럼
말이다.

밋밋할 뻔한 버스여행에 시티투어라는 옷을 입혔던 경험도 있다. '안녕 하실 테죠? 제가 김광석입니다'라는 주제의 김광석 버스를 탔다. 김광석의 발자취를 찾아 떠나는 버스를 타니 평소에 좋아하던 김광석의 노래의 의미를 알게 되었다. 대구 하면 김광석거리가 생각날 만큼 대구라는 도시가 좋아졌다.

광주 100년 이야기라는 주제를 입혀 광주의 과거와 현재, 미래를 연극 및 영상 등 다채로운 형식으로 즐기는 융합형 시티투어도 인상적이었다. 광주 곳곳의 5·18 광주민주항쟁 현장으로 빠져들어 투쟁을 하고, 노래를 부르고, 광주항쟁의 상징이 된 주먹밥을 먹어보는 체험을 했다. 책으로만 봤던 5·18의 역사가 내 눈앞에 생생하게 펼쳐졌다. 광주라는 도시에 버스를 입히고 시티투어를 입힌 결과였다.

뮤지컬과 낭만 버스킹, 문화관광해설과 이벤트가 있는 문화콘텐츠형 시티투어인 '시간을 달리는 버스커'를 통해 새로운 여수를 알기도 했다. 부산에서 찾은 시티투어는 블루라인 코스, 레드라인 코스 그린라인 코스 등 각 코스별로 도시를 둘러본다. 선택하는 코스에 따라 바다와 도심지를 제대로 볼 수 있다. 오픈탑의 2층 버스에서 바라보는 부산은 평소에 보던 부산이 아니었다. 전라도, 서울, 경기도, 그리고 섬을 돌아보는 시티투어 등 전국 지자체가 만들어 놓은 시티투어를 하나씩 찾아보니 여행의 지평을 새롭게 열어 주었다. 나의 시티투어 여행은 현재 진행형이다.

남들이 가지 않는 곳을 가고 남들이 보지 못하는 곳을 보는 여행을 하고 있다. 이건 나만의 여행이니까 말이다. 나처럼 여행하는 사람도 있겠지만 각자 자신만의 여행을 기획하고 만들어 가는 시도가 중요하다. 여행에 정답이 없다. 남들 따라가는 여행이 틀렸다는 게 아니라 자신만의 여행을 만들다 보면 우리가 생각하는 것보다 여행은 훨씬 풍성해진다.

아름다운 풍경을 만나고 맛있는 음식을 만나고 사람을 만나고 자신을 만나는 것, 이 모든 것을 여행이라 부른다. 아름다운 섬을 만나고 섬 속에서 사람을 만나고 섬에서 위로 받는 것, 이모든 것을 여행이라 부른다. 색다른 버스를 탔다. 버스 속에서 음악을 만났고 뮤지컬을 만났고 역사를 만났다. 이 모든 것을 여행이라 부른다.

**"여행이란, 세상이라는 도화지에 그리는 또 다른
그림이다."**

Question

11

나만의 방식을
찾았는가?

지금 발걸음보다 마음의 짐이
무겁지는 않은가?

　지친 발걸음보다 무거운 게 있다면 마음으로 짊어
진 짐이다. 지친 몸이야 잠시 쉬었다 일어서면 되지
만 마음의 짐은 일어서고자 하는 마음조차 꺾어 버리
기 때문이다. 그 마음의 짐을 훌훌 벗어 버릴 수 있는
가장 좋은 방법 중 하나가 여행이라 말해주고 싶다.

　전라도 강진읍에 가우도라는 섬이 있다. 보은산이
소에 머리에 해당되고 섬의 형태가 소에 지우는 멍에
를 닮았다 하여 멍에 가(駕)에 소 우(牛)를 써서 가우
도라 부른다. 그 섬에 오르면 '모란이 피기까지'의 시
인 영랑 김윤식 시인 전신상을 만나게 된다. '모란이
피기까지는 나는 아직 나의 봄을 기다리고 있을 테
요'. 힘들 때 시 한편이면 용기를 얻는다. 특히 여행지
에 만난 시는 훨씬 입체적으로 다가온다.

내가 가장 힘들었을 때 산을 탔고 차츰 산에서 섬으로 여행을 시작했는데 그때 만난 섬이 가우도다. 가우도를 빠져나오면 고바우 전망대라는 곳을 만나게 된다. 고바우는 나무를 하러가거나 장을 오가는 사람들이 무거운 지게를 짊어지고 가다가 힘이 들 때면 쉬어가던 장소였다. 아무리 무거운 짐을 지고 먼 길을 걸어왔더라도 이곳에 와 지친 다리를 쉬고 나면 다시 그 무거운 짐을 지고 다시 걸어갈 수 있는 힘이 솟아났다고 한다.

여행은 그런 것이다. 삶에 지쳐 힘이 들 때 쉬어가는 고바우 같은 것이 바로 여행이다. 누구나 아픈 경험을 가지고 있겠지만 나도 그런 경험이 있었다. 세상사 뒤로 하고 죽으려는 마음까지 먹을 정도로 나의 삶은 온전하지 않았다. 편의점이라는 말 자체가 생소하던 시절 지금의 CU편의점의 전신인 훼미리마트라는 편의점을 했었다. 편의점이 드물던 시절이었으니 그 당시 편의점은 나에게 경제적으로 날개를 달아 주는 존재였다. 7년이나 했다. 좋았던 시절이었다.

5년쯤 되었을 때 이별의 아픔이 찾아왔다. 그 아픔

으로 인해 나의 생활이 깨지기 시작했고 무너지는 것은 한순간이었다. 2년 가까이 가게를 내팽개치고 아르바이트에게 맡겨 두었으니 엉망이었다. 늘 모범적으로 살아왔던 내가 아무런 미래도, 희망도 없이 방탕한 생활을 이어갔다. 그 당시 돈에 대한 개념도 없어져 갔다. 모으기는 어려워도 쓰기는 정말 쉽다는 사실을 그때 배웠다.

급기야 카드 대출까지 받다보니 어느새 모든 게 빚이 되었다. 카드 독촉을 받아 봤는지 모르겠다. 시도 때도 없이 울리는 전화는 약과다. 매주 찾아오는 카드사 추심팀을 마주하면 삶의 의욕까지 빼앗긴다. 그때의 아픔으로 산을 오르게 됐고 산에서 섬으로 도피처를 찾았다. 어쩌다보니 시작한 발걸음이 차츰 여행으로 바뀌었다. 그 여행들이 모여 나를 치유하기 시작했다.

섬 여행에서 시간이 거꾸로 가는 듯한 경험을 했다. 시간은 느리게 갔다. 조그만 섬에 첫 배를 타고 들어가면 다시 나오는 다음 배 시간까지 길 때는 8시간 이상을 기다려야 하는 때도 있었다. 시간뿐 아니라 마음까

떠나기 어려운 마음, 떠나야 하는 이유

지 느긋해졌다. 사색하고, 잠을 자고, 책을 읽었다. 그러다 지루하면 바다를 보고 파도소리를 듣고 걷고 또 걸었다. 아무것도 아닌 것 같은 이런 일이 반복되자 나도 모르게 마음의 짐을 하나둘씩 내려놓게 되었다. 그 섬들의 이야기가 〈뚜벅이의 계절여행〉이라는 책으로도 나왔으니, 마음의 힘까지 얻은 셈이 아닌가.

걷고 걷고 또 걷다 보면 힘이 들지만, 그에 비해 마음만은 가벼워지는 경험을 하게 되었다. 그렇게 지친 다리를 쉬고 마음의 짐까지 내려놓다 보니, 아무리 무거운 짐을 지고 먼 길을 왔더라도 다시 그것을 지고 얼마든지 갈 수 있는 힘이 솟아났다. 이렇게 여행은 나의 친구가 되었고 힘이 되었고 행복이 되었다.

살아오면서 만난 가장 멋진 말은 '당신에게 여행'이란 말이었다.

떠난다는 것은 그런 것이다. 힘든 삶에 행복을 그려 넣고 싶다면 여행을 떠나라고 말하고 다닌다. 그림처럼 사진처럼 살고 싶다면 여행을 떠나라 말하고 있다.

세상에서 필요한 금이 황금이고 소금이지만, 가장 소중한 금은 지금이라는 말이 있다. 떠나고 싶다, 마음먹을 때는 떠나야 할 순간임을 잊지 말았으면 한다. 발걸음이 무거운 게 아니라 마음이 무거운 것이다. 마음의 짐은 여행으로 벗어날 수 있다. 그러기에 일단 떠나고 보는 것이다.

오늘 떠날 수 없는 여행은 내일도 떠날 수 없다.

떠나기 어려운 마음, 떠나야 하는 이유

Question

12

지금 발걸음보다 마음의 짐이
무겁지는 않은가?

사람에게 감동한 적이
있는가?

사람이 온다는 건

실은 어마어마한 일이다.

그는

그의 과거와

현재와

그리고

그의 미래와 함께 오기 때문이다.

한 사람의 일생이 오기 때문이다.

_정현종, '방문객'

한 사람이 온다는 건 실로 어마어마한 일이라는 정
현종 시인의 말에 폭풍 공감을 느낀다. 경기도 과천

통계청에서 근무하는 조사관 한 분을 만났다. 나에게 찾아온 행운 같은 만남이었다. 나는 '뚜벅이의 계절여행'이라는 블로그를 운영하고 있다. 온라인상에서의 모임이다 보니 오프라인 모임을 많이들 요청했다. 뚜벅이만의 여행이 아니라 뚜벅이와 함께하는 여행을 하고 싶어 했다.

'뚜벅이의 계절여행 소풍'이라는 이름으로 제1회 소풍을 기획했다. 통영의 아름다운 섬 대매물도를 4월에 가기로 정했으나 그해 4월 때 아닌 폭풍이 와서 대매물도 소풍은 가지 못했다. 대신 가까운 섬인 거제 지심도로 장소를 변경했다. 섬 여행은 계획대로 진행되지 않는 경우가 많다.

경기도 과천에서 대전에서, 대구, 창원, 부산에서 전국의 뚜벅이 가족들이 함께했다. 뚜벅이가 누군지 궁금해서 참석하신 분도 계셨고, 혼자 여행하는 게 부담스러워 이번 기회에 함께한 사람들 그리고 섬 여행을 하고 싶은 분 등 각자의 사연을 가지고 왔다. 뚜벅이의 계절여행 첫 소풍에 참석하신 분이 통계청에 조사관으로 근무하는 분이었다.

첫 만남은 이후에도 이어져 소중한 인연이 되었다. 또 그 덕분에 나의 첫 번째 책 〈뚜벅이의 계절여행〉이 탄생되었다. 그분께서 책을 내라고 권했다. 원고만 쓰면 출판사 계약부터 그 다음은 알아서 해 주겠다고 했다. 그분 도움으로 나의 첫 책이 탄생했다. 첫 책에 첫 출판기념회를 가지게 되었는데 그때 사회까지 봐 주었다. 전혀 모르던 사람을 여행이라는 매개를 통해 만나고 인연이 된 것이다. 사람이 온다는 것은 실로 대단한 일이었다. 내 인생 최대 감동스러운 날을 만들게 되었으니 말이다. 그 인연을 지금까지도 이어오고 있으니 실로 감사하다.

시절인연이란 말이 있다. 모든 인연에는 오고가는 시기가 있다는 뜻이다. 굳이 애쓰지 않아도 만나게 될 인연은 만나고, 무진장 애를 써도 만나지 못할 인연은 못 만난다는 말이다. 사람을 만나기가 참으로 쉽지 않다. 거기에 마음까지 맞는 사람을 만난다는 것은 축복임에 틀림없다. 여행은 사람을 만나게 한다. 같은 여행지를 바라보는 마음이 통하는 사람을 만나게 한다. 그들의 여행 이야기는 우리를 감동시키기에 충분하다.

떠나기 어려운 마음, 떠나야 하는 이유

여행지에서 알게 된 사람이 우리를 감동 시키듯 여행지도 마찬가지다. 내가 가고 싶은 여행지를 꿈꾸다 보면 언젠가는 만나게 되는 신기한 경험을 하게 된다. 여행지가 우리를 감동시키는 이유가 그곳의 아름다움일 수도 있겠지만, 그보다는 함께 누리는 인연이 있기 때문이다. 그래서 여행은 좋은 것이다. 여행이라는 공통된 관심사를 가지고 만나게 될 새로운 인연을 기대하고 있다. 여행에 감동을 받으면 사람에게도 감동받는다. 여행은 그런 것이다.

여행은 좋은 사람을 만나게 한다.

Question

13

사람에게 감동한 적이
있는가?

당신에게 이런 마음이
이미 있지 않을까?

　세상의 맛있는 요리마다 각각의 레시피가 있는 것처럼 여행을 하는 이유도 가지각색이다. 세상에 찾고 싶은 곳이 뚜벅이를 만나 뚜벅이만의 레시피로 태어난 것처럼 자신만의 여행 요리를 만들어 보자.

　여행 레시피를 그려보자. 모든 요리의 기본이 신선한 재료에서 시작되는 것처럼 여행의 기본은 신이 만들어 놓은 아름다운 장소이다. 똑같은 재료라도 신선한 재료를 고르는 안목이 있어야 하는 것처럼 멋진 장소, 의미 있는 장소를 알아보는 안목이 없다면 신비로운 장소를 보고도 놓치고 만다.

　두 번째 필요한 것은 떠나고픈 마음이다. 많이도 필요 없다. 한 스푼이면 족하다. 움직이기를 싫어하는 사람도 많다. 그냥 떠나면 될 것 같은데도 그렇지를 못하다. 마음이 원하는 것을 할 수 있는 일도 복이다. 거창한 생각이 아니라 그냥 마음의 짐을 조금만 내려 놓으면, 자기 시간 조금만 내어놓으면 된다.

세 번째 준비할 것은 세상을 아름답게 보는 눈이 다. 양으로 따지면 평소 주변을 보는 정도만 있으면 된다. 감탄이 사라진 시대다. 가까운 곳에서 좋은 것을 찾을 줄 알아야 하고 작은 것에 감탄할 줄 알아야 한다. 계절이 바뀔 때 계절이 바뀌는 것을 알아야 한다. 그 눈은 마트에 파는 게 아니다. 평소에 조금씩, 조금씩 만들어 놓아야 한다.

마지막으로 고명으로 푸른 하늘 그리고 싱싱한 바다, 멋진 산과 내가 가고자 하는 장소에 얽히고설킨 역사적인 사실들을 올려놓으면 된다. 작은 마을에도 마을만의 유래가 있다. 전설도 있다.

레시피가 준비되었다면 여행 요리의 주재료인 가고 싶은 장소에 떠나고자 하는 마음을 올리고, 세상을 아름답게 바라보는 눈과 함께 둘을 적당히 섞고 계절이라는 순수 자연식 양념과 함께 프라이팬에 올려 조금씩 조금씩 볶으면 된다.

봄과 여름, 가을, 겨울이라는 계절 양념을 어떻게 넣느냐에 따라 그 색을 달리하는 게 여행 요리의 특징이다. 마지막으로 만들어 놓은 푸른 하늘과 멋진 산들과 장소마다 살아 있는 스토리 등을 살포시 올려, 좋은 사람들과 나누어 보자. 이렇게 요리를 하다 보면 어디로 떠나든 그곳은 세상에서 가장 아름다운 곳이 된다.

거기에다가 간단한 커피 한잔이면 금상첨화다. 같은 재료라도 누가 요리하느냐, 어떻게 요리하느냐에 따라 그 맛이 달라지듯 여행도 마찬 가지다. 각자의 요리 비법으로 만들어 내는 여행이 자신에게 최고의 여행이 된다.

여행은 자신이 만들어 가는 요리다.
어떻게 요리하느냐에 따라 여행의 맛은 달라진다.

Question

14

당신에게 이런 마음이
이미 있지 않을까?

에필로그

배가 고플때는 밥을 먹어야하고, 마음이 고플때면 여행을 떠나야 한다.

쫓기는 삶을 살다가 문득 밤하늘 별이라도 쳐다보는 날이면, 나는 왜 이렇게 사는가, 무엇을 위해 이렇게 달리고 있는가 생각하며 자신을 되돌아 볼 때가 있다. 열심히 살아 왔음이 분명한데도 허무한 삶을 살아온 것 같다는 느낌이 들 때가 있다. 한없이 바쁜 자신을 반성하며 가끔 하늘 한번은 올려다 보는 여유라도 가지고 살아야지 하고 마음먹는다. 그럼에도 삶이 바쁘다는 이유로 차일피일 미루다 보면 우선순위라는 이름 하에 항상 뒤처지는 것이 여행이다.

여행이 단순히 돈을 허비하고 시간을 허비하는 일이 아님을 알고 있어도 먹고사는 일에 메여 마음먹고 떠나지 못하는 사람들에게 나의 이야기를 들려주고

떠나기 어려운 마음, 떠나야 하는 이유

싶었다. 건강상의 이유나 여러 가지 이유로 떠나지 못하는 사람들에게 더 이상 미룰 일이 아니라고 전해 주고 싶었다.

아마 이 책을 다 읽고 난다면, 우리의 발목을 잡아채고, 우리를 옥죄고 있는 수많은 핑곗거리를 내팽개쳐 버릴지도 모르겠다. 영원할 것 같은 지금의 시간도 지나고 나면 찰나에 불과하다. 언제까지고 머무를 수 있는 자리가 아니기에 하루하루가 너무나 소중하다. 세상 그 무엇보다 자신이 중요하다는 사실을 깨닫기를 바란다. 마음이 원하는 일을 몸이 할 수 있도록, 몸이 원하는 일을 마음이 따라갈 수 있도록 스스로에게 조금이라도 시간을 내어 주자. 인생 잘살았다는 고백까지는 아니라도 후회 없는 인생을 살아 봐야 하지 않겠는가.

세상에 우리의 눈을 현혹하고 우리의 몸을 자극하는 재밋거리가 얼마나 많은가? 그럼에도 불구하고 몸과 마음까지 건강하게 만들고 현재를 가장 재미나게 살아가는 방법 중 하나가 여행이라고 말해주고 싶다. 오늘 떠날 여행을 내일로 미루지 말자. 여행은 결코 거창한 게 아니다, 특별한 날에만 하는 게 아니다.

우리의 일상이 여행이 되는 삶을 살기 위해서는 잘 떠나야 한다. 갑자기 시간적인 여유라도 생기면 오래된 숙제를 해치우듯 떠나는 여행은 다녀오고 나면 첫째 몸이 힘들고 마음까지 힘들어진다. 당장 내일부터 삶의 현장 속에 뛰어들 것을 생각하면 머리까지 아파온다. 그러나 진정한 여행은 다녀오면 직장생활에 힘이 나고 가정 속에서 삶의 긍정에너지를 발사하게 되는 법이다.

가깝고도 흔한 곳, 매일 보는 일상마저 새롭게 보이게 하는 마력을 지닌 게 여행이다. 아주 멀고 흔하지 않은 곳도 꿈꾸게 만드는 매력과 힘을 지닌 게 바로 여행이다. 여행을 연례행사로 만들지 말자. 여행은 치러야 할 일이 아니라 마음의 짐을 덜어내는 과정이다. 무거운 마음을 내려놓고 가벼운 마음으로 떠나자. 여행 가방을 아주 멀리 떠날 때만 찾는 사람의 가방은 그렇게 무거울 수가 없다. 가벼울수록 떠나기가 좋은 법이다.

평소에 마음의 여행 가방부터 챙기는 연습을 해보자.

가슴 한편에 떠나고 싶은 곳 하나 저장해 놓아도 언

젠가는 떠나게 되는 것이 여행이다. 떠나면 별을 보게 되고 그 별은 지친 몸과 마음에 힘을 가져다 준다. 이렇게 좋은 여행 같이 떠나고 싶다. 이렇게 좋은 여행 같이 해 보자. 나 자신을 찾아가는 여행, 나를 위로 하는 여행이야 말로 내가 찾은 오락 중 단연 최고의 오락이었다.

여행은 혼자 하는 최고의 놀이며 함께 만들어 가는 최고의 오락이다.

그렇게 떠나보면 너무나 행복해서 그 순간을 그대로 붙잡아 두고 싶을 때가 있다. 행복의 무게를 이길 수 없을 때가 올 것이다. 눈에서 시작된 행복이 가슴까지 전해지는 순간 갑자기 세상이 달라 보이게 될 것이다. 언젠가 삶이 곧 여행이고, 여행이 곧 삶이 되는 순간이 오게 될 것이다. 내 곁에 있는 익숙한 것들이 낯설어질 때가 있다. 그때 떠나면 된다. 여행하는 도시에서 내가 살고 있는 도시도 참 아름답다는 생각이 들 때가 있다. 그때 다시 삶의 터전으로 돌아오면 된다. 그때쯤이면 병이 들어 있을 것이다. 떠나도 좋고 돌아와도 좋은 여행이라는 병 말이다.

여행은 앓고 싶은 병이다.

여행이 주는 선물은 여행지에만 있는 게 아니다. 아직 일어나지 않은 기대감과 설렘, 그리고 추억이야말로 여행이 주는 최고의 선물이다. 여행지에서의 일어나는 수많은 일들과 행복하고도 좋은 기억들을 남기는 일은 자신에게 주는 행복의 선물이 된다. 집으로 돌아올 때면 그 기억을 파편들을 기억의 금고 속에 고이 간직했다가 와인 한잔에 흘러가버린 시간을 기억의 금고 속에서 꺼내어 퍼즐 맞추듯 맞추어 가며 좋아하는 사람들과 나누는 게 여행의 전부다.

행복한 기억을 만드는 가장 좋은 방법은 여행이다.

자 그렇다면 떠날 준비는 됐는가? 여행 가방을 챙길 용기가 생겼는가? 여행은 일상의 무료함을 없애고 그 일상에 행복을 퍼 올리는 펌프질이다. 여행을 떠나야 하는 이유는 수만 가지다. 여행을 떠나야 하는 수만 가지 이유 중 하나만 있어도 떠나자. 그 이유 하나 붙들고 그냥 떠나 보는 것이다.

여행은 선택이 아니라 필수다.

떠나기 어려운 마음, 떠나야 하는 이유

인생을 다채롭게 살고 싶은 당신에게

발행일 2024년 7월 3일

지은이 문명길
펴낸이 마형민
기획 이은주
편집 박한서
디자인 김안석
펴낸곳 (주)페스트북
주소 경기도 안양시 안양판교로 20
홈페이지 festbook.co.kr

© 문명길 2024

ISBN 979-11-6929-520-8 03810
값 12,000원